RATUS POCHE

COLLECTION DIRIGÉE PAR JEANINE ET JEAN GUION

❧

Ratus champion de tennis

Les aventures du rat vert

© Hatier Paris 2004, ISSN 1259 4652, ISBN 978-2-218-74931-5

Ratus
champion de tennis

Une histoire de Jeanine et Jean Guion
illustrée par Olivier Vogel

Les personnages de l'histoire

Pour Simon.

1

Cette année, Jeannette organise des cours de tennis pour sa classe. Un tournoi aura lieu juste avant les grandes vacances. Elle a décidé de répartir ses élèves en trois équipes : les zèbres, les kangourous et les lionnes.

– Il faut un responsable dans chaque équipe, leur dit-elle.

Trois doigts se lèvent immédiatement :

– Moi, pour les kangourous ! dit Marou.

– Moi, pour les lionnes ! dit Mina.

– Et moi, le roi des zèbres ! dit Ratus.

Tout le monde est d'accord. Jeannette explique ensuite comment se passera le tournoi de fin d'année :

– Vous jouerez d'abord les uns contre les autres, puis le meilleur de chaque équipe aura l'honneur de se mesurer à M. Édouard, l'ancien champion de notre ville.

– Wouah ! fait Ratus. Si je gagne, je vais jouer contre un champion !

– Ce sera vrai pour les trois gagnants, dit Jeannette. Et en plus, vous avez de la chance : M. Édouard accepte d'être votre professeur jusqu'à la finale.

Les élèves sautent de joie.

Une semaine plus tard, les cours de tennis commencent, mais il y a vite de gros problèmes. M. Édouard est apprécié, certes, mais c'est maintenant un vieux monsieur très étourdi et tellement gentil qu'il ne sait pas se faire obéir. Les élèves chahutent pendant ses leçons et c'est la pagaille !

Aussi, un matin, Jeannette annonce-t-elle à sa classe :

– À partir d'aujourd'hui, ce ne sera plus M. Édouard qui vous donnera les leçons de tennis. Il sera arbitre, et vous aurez un nouveau professeur. Ce sera monsieur…

Elle ouvre la porte du couloir et qui entre en gonflant le torse ? C'est Victor ! Ratus n'en croit pas ses yeux.

– Bonjour les petits ! s'écrie le nouveau professeur.

– On n'est pas des petits ! protestent tous les élèves, sauf Mazo qui est timide.

– Euh… je voulais dire : « Bonjour les enfants », corrige Victor.

Trop tard, les élèves sont vexés. Et en plus, Victor a écrit en titre « TENNIS POUR LES PETITS » sur les horaires d'entraînement.

– Les trois gagnants joueront toujours contre M. Édouard ? demande Ratus.

– Non, dit Jeannette, ils joueront contre M. Victor.

– Eh bien, chuchote Ratus à l'oreille de Marou, il ne sait pas ce qui l'attend. On va bien rigoler !

Le samedi suivant, Ratus propose à Marou et à Mina de l'accompagner au club sportif de Villeratus. Là, le rat vert a réservé un court pour s'entraîner.

— Je vais apprendre en cachette, dit-il aux chats. Comme ça, je serai le meilleur des zèbres, et je battrai Victor !

Sur le court, il y a une machine qui lance des balles pour qu'on s'entraîne à les renvoyer.

« Je vais la régler sur *débutant*, se dit-il. »

Mais comme Mina le regarde, il tourne le bouton jusqu'à la position *champion*. Horreur ! Les balles sortent à toute vitesse de la machine. Zling ! Zlang ! Une sur le bras, une sur le museau, et Ratus laisse tomber sa raquette. Il se baisse pour la ramasser. Zling ! Zlang ! Une balle sur les oreilles, une dans le derrière ! Zling !

*Qui Ratus veut-il battre au tournoi
de tennis de l'école ?*

Zlang! Il pleut des balles. Il y en a partout ! Ratus marche sur l'une d'elles et tombe. Zling! Zlang! Les balles sifflent au-dessus de sa tête.

— Au secours ! crie-t-il. La machine me bombarde.

Marou rit de bon cœur, mais pas Mina. Elle court vite arrêter la machine.

— Tu sais, lui dit-elle, si tu joues en finale, Victor ne te fera pas de cadeau. Il te bombardera comme la machine.

— Ça va être dur de gagner, soupire Ratus.

Et il règle la machine sur la position *débutant*.

— Ouf, ça va mieux, dit-il en renvoyant les balles. Je sens que je deviens très fort.

Le lendemain, les trois amis se retrouvent dans un pré. Toute la journée, ils se lancent des balles pour apprendre à les renvoyer. Ratus s'applique, Marou et Mina aussi.

– Encore deux ou trois dimanches comme ça, et je battrai Victor ! dit le rat vert, tout heureux.

2

Les leçons de tennis ont lieu sur le court situé derrière l'école. Victor n'est pas un professeur très patient. Il s'énerve facilement, surtout quand Mazo Dumouton joue. Pauvre Mazo ! Chaque fois qu'il tape dans la balle, sa raquette lui échappe des mains, s'envole, puis retombe sur la tête d'un copain. Et Victor se met à crier.

– Calmez-vous, monsieur Victor ! dit Jeannette d'un ton sévère. Mazo est un gentil garçon, plein de bonne volonté, et c'est la première fois que sa maman l'autorise à faire du sport.

Victor s'excuse aussitôt en bafouillant :

– Euh… maîtresse… Euh… demoiselle…
Euh… m'zelle Jeannette…

Il devient tout rouge, et les élèves se
donnent des coups de coude.

– Il est amoureux, chuchote Mina à
Capra, la fille du marchand de fromage.

Et elles rient toutes les deux.

Victor frappe dans ses mains et dit :

– Je vais vous montrer ce qu'il faut faire.
Ratus, viens jouer contre moi.

Les élèves se rangent au pied de la chaise
de l'arbitre tandis que Jeannette bavarde
plus loin avec le directeur de l'école. Le
match commence. Ratus regarde Victor,
vise bien et tape de toutes ses forces.

– Hé, doucement ! crie Victor.

Mais le rat vert continue et Victor s'énerve à nouveau. À son tour, il ferme un œil pour mieux viser, lève sa raquette très haut et frappe la balle.

– Ayayaïe ma tête ! hurle Ratus.

Là-dessus, il s'écroule, les bras en croix, en faisant bien attention de ne pas abîmer sa raquette en tombant.

Sur sa chaise haute, M. Édouard qui arbitre se lève d'un bond. Il compte : *un, deux,* comme à la boxe. *Trois, quatre…* Il fait de grands gestes : *cinq, six…* La chaise se balance : *sept, huit…* Il compte toujours : *neuf, dix* ! Puis il crie en levant le bras « Ratus K.-O. ! » et patatras, la chaise tombe, il dégringole sur les élèves qui regardaient

Que va-t-il arriver à M. Édouard ?

les deux joueurs.

– Ayayaïe! hurle Mazo. Il est tombé sur mes orteils.

D'autres élèves crient à leur tour «Ayayaïe!» et Jeannette arrive au pas de course, suivie du directeur.

– Que se passe-t-il?

– C'est M. Victor, répond le vieil arbitre en se tâtant les côtes pour savoir s'il n'en a pas de cassées. Il joue comme une brute… Il a assommé le pauvre petit Ratus…

Jeannette découvre le rat vert, toujours étendu sur le court, les bras en croix. Elle se penche au-dessus de lui, l'observe bien, puis murmure quelque chose à l'oreille de Marou qui part en courant et revient quelques instants plus tard avec un seau d'eau qu'il verse sur la tête de Ratus. Le rat vert se lève d'un bond en hurlant :

– Au secours ! On m'inonde !

Jeannette, les mains sur les hanches, le regarde d'un air sévère.

– Tu faisais semblant ! lui dit-elle.

Puis elle se retourne et montre Victor d'un doigt qui tremble de colère :

– Et vous, si vous vous énervez encore une seule fois, vous serez renvoyé !

Victor baisse le nez. Il est rouge comme une pivoine et bafouille :

– Euh… compris… m'zelle Jeannette.

Les élèves ont le sourire et Ratus est content de lui : il a fait gronder Victor !

3

Les semaines passent et Ratus continue à s'entraîner en secret tous les dimanches, avec Marou et Mina.

À l'école, les leçons de tennis se passent bien mieux : Victor reste calme parce que Jeannette le surveille. M. Édouard ne tombe plus de sa chaise haute parce qu'on a consolidé la fixation du siège et qu'on lui a installé une ceinture de sécurité. Mais il a tenu à apporter un sifflet, et maintenant, il siffle les fautes et les points comme ferait un arbitre de football ou de rugby, ce qui

4

amuse tout le monde, sauf Victor.

Les vacances de printemps arrivent et Ratus part deux semaines chez sa grand-mère, avec Marou et Mina.

À peine a-t-il posé sa valise qu'il lui parle du grand tournoi de l'école et lui demande :

– Mamie, tu pourrais nous aider à devenir des champions de tennis ?

– Bien sûr, répond la grand-mère. Quand j'étais jeune, j'étais moi-même une vraie championne !

À l'idée de revivre ses souvenirs de jeune fille, Mamie Ratus est aux anges. Elle disparaît et revient vêtue d'une jupe et d'un tee-shirt. Elle a défait son chignon et passé ses cheveux dans un bandeau.

– Wouaaah ! fait Ratus, admiratif. Tu es la plus jolie de toutes les mamies du monde !

Mamie Ratus se regarde dans le miroir de face, de profil, et même de dos ! Elle sourit, radieuse.

– Il est temps que je songe à me marier une nouvelle fois. Il me faudrait un joueur de tennis qui soit célibataire…

– On en connaît un, mamie, répond Ratus. À l'école, on a un professeur-arbitre qui est très beau et très gentil.

– Il n'est pas trop vieux ?

Marou tousse et Mina cache un sourire.

– Un peu, mais il est riche et il a une jolie voiture blanche décapotable, répond Ratus.

Que font Ratus, Marou et Mina
pendant leurs vacances chez Mamie Ratus ?

La grand-mère se regarde une dernière fois dans le miroir.

– Une voiture blanche, ce sera parfait pour le mariage, dit-elle. Maintenant, allons nous entraîner !

Et les voilà partis pour le club de tennis de Ratefontaine où Mamie Ratus a réservé un court pour deux semaines.

– On va pouvoir devenir des champions, dit Ratus. Je veux absolument battre Victor.

– Le Victor que je connais ? Le copain musclé de Belo ? demande la grand-mère.

Ratus, Marou et Mina font oui de la tête. Mamie Ratus ne l'aime pas beaucoup. Elle n'a toujours pas oublié qu'il lui a répondu non quand elle lui a demandé de l'épouser.

Pire, il a poussé un cri comme s'il voyait un monstre et il s'est sauvé en courant. Alors Mamie Ratus prend son air renfrogné des mauvais jours.

– Il va voir de quel bois je me chauffe, ce gros tas de muscles qui se croit malin ! Je vais t'apprendre ma botte secrète et tu le ridiculiseras, mon petit Ratounet.

4

Au retour de Ratefontaine, Ratus, Marou et Mina sont épuisés. Ils ont joué au tennis tous les jours, le matin, l'après-midi et même le soir à la lumière des projecteurs. Ils sont maintenant prêts à affronter Victor. Bien sûr, le gros chien ne doit pas savoir qu'ils se sont entraînés pendant les vacances. Et quand il leur demande :

– Mais qu'avez-vous fait chez Mamie Ratus pour être dans cet état ?

Ratus, Marou et Mina répondent :

– On a fait du ménage à longueur de

journée. On a nettoyé toute sa maison, même le grenier et la cave.

– Oh là là, dit Victor compatissant, le ménage c'est plus fatigant que le sport. Et surtout, c'est moins drôle !

Le lendemain, lors de la leçon de tennis, Ratus et Marou manquent toutes les balles. Mina, elle, n'a même pas la force de tenir sa raquette !

– Vous avez vraiment l'air très fatigués, dit Mazo qui joue maintenant en tenant sa raquette à deux mains.

Après la séance, Jeannette annonce :

– À partir de demain, nous allons organiser des matchs entre vous pour mieux préparer le tournoi du mois de juin.

– Hourra ! crient les élèves.

– M. Victor regardera et vous donnera des conseils. Bien sûr, les matchs seront arbitrés par M. Édouard.

– Avec mon sifflet ! crie le vieux monsieur du haut de sa chaise. Et pas de brutalités, M. Victor. Je ne veux pas voir d'élève K.-O. ! Sinon, je siffle un penalty !

Pauvre M. Édouard. Il perd de plus en plus la tête. Voilà qu'il se croit maintenant arbitre de football ! Mais il est gentil, alors tout le monde rit comme s'il plaisantait, et Ratus crie :

– Vive l'arbitre ! Vive M. Édouard !

Et les élèves reprennent en chœur :

– Vive l'arbitre ! Vive M. Édouard !

Victor reste bouche cousue. Il n'a pas apprécié que M. Édouard lui rappelle

Qui est sûr de gagner le tournoi de tennis ?

qu'il avait été brutal. Mais il a tort : il aurait dû crier « Vive l'arbitre ! » lui aussi, car M. Édouard le regarde du coin de l'œil en faisant la grimace. Visiblement, il aime de moins en moins ce gros musclé qui lui a pris sa place de professeur.

Ratus lève le doigt :

– Qu'est-ce qu'on gagne, maîtresse, si on bat Victor le jour de la finale ?

– Une coupe et sa photo dans le journal.

– Alors, moi, dit Victor en gonflant ses biceps, j'aurai trois coupes et trois fois ma photo dans le journal, parce que je vais tous vous battre. C'est moi le plus fort.

Jeannette hausse les épaules. Le pauvre Victor devient écarlate :

– Euh… bafouille-t-il, je disais ça pour

10

plaisanter, m'zelle Jeannette.

Pendant les semaines qui précèdent le tournoi, un match a lieu chaque jour après la classe.

– Ce soir, Mazo contre Marou, annonce Jeannette.

Grand coup de sifflet de M. Édouard et le match commence. Surprise ! C'est Mazo qui joue le mieux. Il ne lâche plus sa raquette. Il frappe ses balles mollement, mais elles passent au-dessus du filet, lentement, et tombent toujours au bon endroit. Marou les rattrape, bien sûr, mais il frappe alors de toutes ses forces et elles vont n'importe où, jamais entre les lignes. Et quand il est au service, il tient si mal sa raquette que la balle va droit dans le filet.

Chaque fois, M. Édouard donne un coup de sifflet et crie « But ! », mais personne ne lui dit rien parce qu'il compte juste tout de même. Finalement, Mazo gagne : six jeux à zéro.

« Marou est nul, se dit Victor en se frottant les mains. Si c'est Mazo qui va en finale, je gagnerai à tous les coups ! Je vais le ratatiner ! »

5

Le lendemain, Victor demande à Ratus de jouer contre Mina.

En allant prendre sa place sur le court, le rat vert réfléchit : « Si je veux gagner le tournoi contre Victor, il faut que je fasse semblant d'être nul, comme Marou a fait avec Mazo. Il ne se méfiera pas et je pourrai lui faire la botte secrète de ma grand-mère… Mais si je joue n'importe comment, je vais perdre ! Et j'aime pas perdre ! »

Ratus est bien ennuyé. Il ne sait pas ce

qu'il doit faire.

« En plus, si je perds, Mina va croire que je suis nul, elle ne va pas m'admirer… »

Ça, ce serait terrible pour Ratus. Alors il n'hésite plus. Il décide de bien jouer pour impressionner sa copine. Tant pis pour Victor !

– Mina au service ! annonce M. Édouard.

Ratus regarde son adversaire. Oh, qu'il la trouve mignonne avec sa jupette blanche ! Il en rougit, il sent son visage devenir tout chaud, ses oreilles bourdonnent…

Et il n'entend plus les coups de sifflet de M. Édouard qui, perché sur sa chaise, compte, compte… Quinze-zéro, trente-zéro, quarante-zéro, jeu pour Mina. Les balles passent entre les jambes du rat vert,

Qui empêche Ratus de bien jouer ?

deuxième jeu pour Mina… Il manque ses services, troisième jeu pour Mina… Chaque fois qu'il regarde sa copine, elle lui fait un sourire et il joue encore plus mal. Pauvre Ratus !

« Il est nul, ce rat vert ! se dit Victor en se frottant à nouveau les mains. Il se croit plus malin que moi, mais il va voir ce qu'il va voir ! »

L'arbitre siffle puis crie :

– Six jeux à zéro ! Mina a gagné.

La veille du tournoi, tous les élèves ont joué un match d'entraînement. L'arbitre déclare à grands coups de sifflets que les deux meilleurs joueurs sont à son avis Mina et Mazo.

– M. Victor risque de perdre contre eux.
Il devra surtout se méfier de Mina.

Victor ricane.

– Mina ? Moi, perdre contre une fille ?
C'est impossible !

Il fait bouger ses biceps pour bien
montrer qu'il est le plus fort, puis ajoute :

– En tout cas, Ratus et Marou vont
perdre dès le début. Ils sont nuls.

Là-dessus, Victor salue tout le monde et
rentre chez lui, persuadé qu'il ne fera
qu'une bouchée des kangourous, des
lionnes et des zèbres. Il est sûr qu'il va
gagner le tournoi de l'école.

6

C'est le grand jour. Le tournoi va commencer. Belo est là, tous les parents sont venus, mais Victor n'est pas encore arrivé. Jeannette lui téléphone :

– Allô ? M. Victor, vous êtes malade ?

– Euh… non, mais je suis très occupé. Je prépare un concours de M. Muscle pour la semaine prochaine. D'ailleurs, ma présence serait inutile, la télévision ne viendra que pour les trois finales.

– Vous ne venez pas voir vos élèves jouer ? s'indigne Jeannette.

13

– Non. M. Muscle, c'est plus important que le tennis à l'école.

Jeannette est furieuse. Elle lui raccroche au nez, range son portable dans sa poche et annonce :

– Nous commençons sans M. Victor.

– Tant mieux, dit M. Édouard.

Et il souffle de toutes ses forces dans son sifflet.

Jeannette tire au sort l'ordre de passage des équipes. C'est d'abord aux kangourous de jouer pour désigner leur champion. Après trois heures de matchs et de coups de sifflets, l'arbitre annonce :

– Vainqueur des kangourous : Marou par six jeux à deux contre Pierrot Lapin.

Après le déjeuner au restaurant de

l'école, c'est à l'équipe des lionnes de jouer pour trouver sa championne. Capra, la fille du marchand de fromage, joue très bien et Mina perd au début.

– Quatre jeux à un en faveur de Capra ! annonce l'arbitre entre deux coups de sifflet. Service pour Mina.

La petite chatte se concentre. Quelques jolis services, quelques revers réussis, et son score s'améliore. Quatre-trois, puis quatre-quatre. Capra se fatigue, envoie deux fois la balle dans le filet et Mina gagne finalement par six jeux à quatre.

Le lendemain matin, c'est au tour de l'équipe des zèbres. Cette fois, Ratus joue bien, d'autant que sa grand-mère est parmi les spectateurs et que Victor n'est

Que fait Victor pendant que ses élèves jouent au tennis pour le tournoi ?

toujours pas là pour l'observer. Et il gagne !

M. Édouard sort le carnet où il a noté les résultats. Il annonce les noms des trois élèves finalistes : 14

– Joueront donc contre M. Victor : Rosalie, Antoinette… euh… non, ça ce sont mes partenaires de bridge au club des 15 Anciens… Euh… j'y suis : Mina, Ratus et Marou.

Tout le monde applaudit. Jeannette téléphone une nouvelle fois à Victor :

– Allô ? M. Victor, nous vous attendons.

– La télévision est là ? demande-t-il.

– Elle sera là en début d'après-midi, répond Jeannette. Les journalistes aussi.

– Très bien. J'y serai. Contre qui dois-je

jouer? Pensez-vous que je dois faire semblant de perdre un peu?

Jeannette n'aime pas que Victor fasse le malin de cette façon.

– À tout à l'heure, M. Muscle! répond-elle d'un ton sec.

Et elle raccroche.

Quand Victor arrive sur le court, il se précipite vers Jeannette.

– Contre qui dois-je jouer?

– Contre Ratus, Marou et Mina.

– C'est impossible! Ces trois-là jouent comme des pieds…

Jeannette a un mouvement de tête qui montre son agacement :

– Soyez poli! S'ils ont gagné, c'est qu'ils

ont bien joué. Et après tout, c'est un peu grâce à vous puisque vous étiez leur professeur.

Victor sourit, mais le cœur n'y est pas. Ratus, Marou et Mina jouaient très mal la semaine dernière, et maintenant ils sont champions de leur équipe ! Il ne comprend vraiment pas…

Mais il n'a pas le temps de réfléchir. M. Édouard souffle dans son sifflet pour appeler les joueurs, et le premier match commence. Il oppose Victor à Marou.

Le public applaudit les premiers échanges de balle qui sont à l'avantage de Marou. Victor n'arrive pas à se concentrer. Jeannette l'a contrarié avec sa remarque et M. Édouard, qui ne l'aime pas, lui casse les oreilles avec son sifflet.

– Faute ! crie l'arbitre au début du deuxième jeu.

– C'est pas vrai ! hurle Victor en jetant sa raquette en l'air.

– Carton jaune ! crie M. Édouard en s'époumonant dans son sifflet.

– On n'est pas au foot ! hurle Victor. L'arbitre est nul ! C'est un idiot !

– Carton rouge ! crie cette fois l'arbitre.

Les élèves applaudissent et Victor doit quitter le court de tennis.

– En vous mettant en colère, vous donnez un très mauvais exemple aux enfants, lui dit Jeannette. J'approuve la décision de l'arbitre, même si c'est une décision d'arbitre de football.

– Marou vainqueur par abandon de l'autre joueur au deuxième round ! crie M. Édouard en confondant cette fois le tennis et la boxe.

Après un moment de repos, Victor doit affronter Mina.

– C'est une fille, grogne-t-il, je vais gagner à tous les coups.

Et il crie bien fort pour que tout le monde l'entende :

– Alors, la fille ? Tu es prête ?

Un murmure de réprobation s'élève dans le public. L'arbitre siffle. Mina se met en place pour le service. Mamie Ratus lui a appris comment faire pour surprendre son adversaire. Alors, Mina joue vite, montant

17

*Qui a tiré la langue à Victor
pour le faire perdre ?*

rapidement au filet, prenant Victor à contre-pied. Il ne s'y attendait pas et il perd le premier jeu! Il gagne ensuite le second, mais cela ne dure pas. Voilà que Mina lui tire la langue! Il est surpris, et laisse passer la balle…

– Elle m'a tiré la langue! hurle-t-il. Elle n'a pas le droit!

Aussitôt M. Édouard cherche dans ses poches les cartons jaunes et rouges, mais il ne les trouve pas : Jeannette les lui a confisqués sous prétexte qu'il n'y en avait pas au tennis. Alors il siffle de toutes ses forces, puis annonce :

– Les joueurs n'ont pas le droit de se tirer la langue pendant le match. C'est une faute qui fera perdre le jeu.

La partie continue. On en est à trois jeux à deux en faveur de Victor. Mais au lieu de suivre la balle des yeux, celui-ci surveille Mina. Et dès qu'il s'apprête à frapper la balle, la petite chatte lui tire la langue, mais en la cachant avec sa main.

– Elle m'a encore tiré la langue ! hurle Victor. L'arbitre ne voit rien ! Il est gâteux !

M. Édouard s'est dressé sur son siège :

– Victor, carton rouge ! Carton noir ! Dehors ! crie-t-il. Vous avez perdu ce match pour insulte à l'arbitre. Mina est vainqueuse ! Euh… vainqueur.

Victor est furieux. Il proteste auprès de Jeannette et du directeur.

– Vous avez tort, lui dit Jeannette. Il faut apprendre aux enfants à respecter les arbitres, c'est très important.

– Mais celui-ci est gâteux !

– Je reconnais qu'il est un peu bizarre, dit-elle. Mais c'est l'arbitre. Si vous ne voulez pas de lui, il ne faut plus jouer : vous n'avez qu'à abandonner.

– Contre Ratus ? s'insurge Victor. Ça, 19 jamais !

7

Quand le troisième match commence, Victor est très concentré. Si Ratus lui tire la langue, il ne se laissera pas faire !

– Service ! crie l'arbitre en montrant Ratus.

Et le rat vert se déchaîne. Tout ce que sa grand-mère lui a appris, il le fait, et il le fait bien. Mamie Ratus, dans le public, se lève sans arrêt pour l'applaudir, ce qui agace Victor.

– But ! annonce étourdiment M. Édouard. Trois jeux à un pour le rat vert.

Le match continue. Quatre jeux à quatre. C'est le moment pour Ratus d'utiliser la botte secrète que sa grand-mère lui a apprise. Sur un revers de Victor, il change tout à coup sa raquette de main pour renvoyer la balle. Le gros chien est pris à contre-pied et Ratus gagne le jeu.

– Essai transformé! hurle l'arbitre confondant soudain le tennis et le rugby. Cinq à quatre pour le rat vert.

Victor n'a pas eu le temps de comprendre ce qui s'était passé.

– Tu joues des deux mains? demande-t-il, ahuri. Je n'ai jamais vu ça…

– Service à M. Victor, dit l'arbitre.

Au moment où le gros chien s'apprête à frapper la balle, tous les élèves lui tirent la langue. La balle sort en dehors des lignes.

– Interdit de tirer la langue à un joueur ! crie l'arbitre. Même s'il le mérite !

Pour le coup, le public éclate de rire, et Victor, déconcentré, envoie la balle suivante au-delà de la ligne de fond. Victor est de plus en plus mal à l'aise. Il n'aurait jamais dû sous-estimer Ratus parce que le rat vert joue vraiment bien.

La fin du match approche. Les deux joueurs sont à égalité. Celui qui marquera le point aura gagné.

– Balle de match ! annonce l'arbitre.

La tension est grande parmi les spectateurs. Mamie Ratus se ronge les ongles et Jeannette a peur pour Ratus. Comme toutes les maîtresses, elle aime voir ses élèves réussir. Aujourd'hui, elle voudrait que Ratus gagne. Et puis, Victor a été tellement insupportable avec son histoire de M. Muscle. Il n'est même pas venu voir ses élèves jouer ! Elle se dit qu'elle pourrait aider un peu le destin, juste un petit peu pour le punir. Alors, au moment où Ratus lève sa raquette pour servir, elle fait un petit coucou de la main à Victor et lui adresse son plus joli sourire.

Victor se sent traversé par un courant électrique. Il ne voit que le sourire de Jeannette, ses doigts qui s'agitent… et il manque la balle de Ratus !

– Ratus a gagné ! hurle M. Édouard entre deux coups de sifflets. Hourra !

Victor est abasourdi. Les élèves et les

22

À la fin du match, qui a un peu aidé Ratus pour qu'il gagne ?

parents applaudissent Ratus. Mina le félicite et lui glisse à l'oreille :

– Tu es le plus fort !

La télévision filme la remise des coupes. Les trois champions posent pour que les journalistes prennent des photos, puis tout le monde se dirige vers le buffet.

– J'veux descendre ! hurle M. Édouard, toujours sur sa chaise d'arbitre.

Mamie Ratus a entendu ses cris. Elle s'approche de lui :

– La jolie grosse voiture blanche décapotable, devant l'école, c'est la vôtre ?

– Oui.

– Alors j'ai l'honneur de vous demander en mariage.

– Moi ? Pas question !

– Eh bien, restez sur votre siège !

Et elle fait mine de s'en aller.

– Oui ! C'est oui ! s'écrie M. Édouard.

Mamie Ratus revient sur ses pas, l'aide à descendre et l'entraîne vers le buffet.

– Je vous présente mon futur époux, dit-elle à Jeannette.

– Si elle n'est pas gentille, dit M. Édouard, je lui mettrai un carton rouge !

Mamie Ratus explique que ce ne sera pas nécessaire, car ses précédents maris ne se sont jamais plaints d'elle.

– Vos précédents maris ? demande-t-il, vaguement inquiet. Il y en a eu plusieurs ?

– Une douzaine, répond Mamie Ratus, mais ne vous faites pas de souci : ils ne sont plus là, ils sont devenus des fantômes.*

---

* Lire *Les fantômes de Mamie Ratus*, Ratus Poche bleu n° 5.

M. Édouard pâlit. Il recule d'un pas, puis détale soudain en criant :

– Carton rouge tout de suite !

Tout le monde rit. Même Mamie Ratus et Victor sont de bonne humeur. La grand-mère du rat vert vient d'apercevoir le directeur de l'école et se dit qu'il ferait un beau mari. Victor, lui, a fait promettre à Jeannette d'aller l'applaudir au concours de M. Muscle.

Pendant ce temps, Ratus, Marou et Mina fêtent leur victoire en remplissant leurs coupes de gâteaux !

1
un **responsable**
Élève chargé de veiller
à ce que tout se passe
bien dans son équipe.

2
ils **chahutent**
Les élèves s'amusent
à se bagarrer.

3
le **torse**
La poitrine.

4
la **fixation** du siège
Ce qui tient le siège
fixé au sol.

5
célibataire
Qui n'est pas marié.

6
renfrogné
Grognon.

7
une **botte secrète**
Mamie Ratus va montrer
à Ratus un coup qui lui
permettra de gagner.

8
compatissant
Victor comprend
les malheurs de Ratus,
Marou et Mina.

9
un **penalty**
Au football, faute grave
commise par un joueur.

10
écarlate
Tout rouge.

11
qui **précèdent**
Qui viennent avant.

12
le **service**
C'est quand on prend
la balle d'une main
et qu'on la frappe
avec la raquette pour
commencer le jeu.

13
elle **s'indigne**
Jeannette est choquée
et en colère.

14
les **finalistes**
Les meilleurs joueurs,
ceux qui jouent
en finale.

15
les **partenaires**
Ceux qui jouent
ensemble une partie
contre d'autres joueurs.

le **bridge**
Jeu de cartes.

16
j'**approuve**
Je suis d'accord.

17
la **réprobation**
Quand on n'est pas
du tout d'accord avec
quelque chose que l'on
trouve mal.

18
à **contre-pied**
Sur le mauvais pied.
Victor croyait que
la balle allait arriver
de l'autre côté.

19
il **s'insurge**
Victor se révolte.

20
un **revers**
Façon de frapper
la balle.

21
sous-estimer
Victor a cru Ratus
moins bon qu'en réalité.

22
abasourdi
Tellement surpris
qu'il n'entend plus
ce qui se passe autour
de lui.

Les aventures du rat vert

Super-Mamie et la forêt interdite

Les histoires de toujours

Ralette, drôle de chipie

L'école de Mme Bégonia

La classe de 6e

Conception graphique couverture : Pouty Design
Conception graphique intérieur : Jean Yves Grall • mise en page : Atelier JMH

Imprimé en France par Pollina, 85400 Luçon - n° L57272
Dépôt légal n° 74931-5 / 08 - Mai 2011